ブルブルくんと
ゆかいな友だち

ブルブルくん
ストーリーズ 3

わかさ生活

はじめに

ようこそ、ブルブルくんの世界へ。
ブルブルくんは、
ときにはフィンランドの湖のほとりに。
ときには日本のどこかに。
ときにはあなたの部屋の片《かた》すみに。 ふと現れます。

ブルブルくんは世界中のみんなが
ずーっときれいな景色を見られるように
目の健康を守りたい。
ひとりでも多くの人に「HAPPY《ハッピー》」を届けたい。
「友だち」になりたい。

そんな夢《ゆめ》を持って、毎日どこかで
仲間たちとゆかいに楽しく遊んでいます。

この本には、ブルブルくんのことが「大好き」な
いろんな人たちが考えた「ブルブルくんと仲間たち」の
物語がつまっています。

この本を読めば、あなたも「あ、あそこで遊んでいるかも」
とブルブルくんたちの姿が見えてくるかもしれません。

もし、あなたの中の「ブルブルくん」がなにか楽しそうな
ことをしていたら、私たちにこっそり教えてくださいね。

それでは、ブルブルくんたちがどんなことをして遊んでい
るのか少しのぞいてみましょう。

登場キャラクター

ブルブルくん

ブルーベリーのようせい。なぜか関西弁《かんさいべん》。ダンスが得意。森のはしからはしまで見わたせるほど目がいい。「アントシアニンパワー」とさけぶと不思議なことが起こる。

アイアイちゃん

サンタベリーのようせい。ダンスが得意で明るい性格《せいかく》。「レスベラトロールビーム」でみんなをメロメロにさせちゃう〝ましょう〟の女の子。

※「モイ」はフィンランドの言葉で
「やあ」や「こんにちわ」の意味だよ。

カタグリくん

ドングリ族の末えい。いたずら好きで力持ち。食いしんぼうでときどきみんなをこまらせてしまうが、にくめない性格。

紫々《しし》丸《まる》くん

むらさき色の毛をもつ羊。ライオンにあこがれている。「ハッピー」が口ぐせ。紫々丸くんの毛（ハッピーウール）をさわると幸せになるらしい。

もくじ

ブルブルくんと
アイアイちゃん

花よりお弁当《べんとう》？

寒い冬が過ぎ、季節はおだやかな春になりました。

この前まで森は雪景色でしたが、いつしかサクラがさきほこっています。

「ようやく春がやってきたんやな」

「サクラが本当にきれいね」

ブルブルくんとアイアイちゃんはそれぞれ家から飛び出し、春がやってきたことを喜んでいます。

「せや！　アイアイちゃん、お花見しようや」

「そうね！」

数日後、ブルブルくんとアイアイちゃんは見晴らしの良いおかへとやってきました。

「わたし、がんばってお弁当を作ってみたのよ」

アイアイちゃんがお弁当をブルブルくんに見せていると、サクラの木のかげから視線《しせん》を感じました。

「そこにいるのはカタグリくんやろ？　もう出てきたら？」

ブルブルくんが言うと、カタグリくんははずかしそうに出てきました。

「ごめんよ！　森の中を歩いていたらいいにおいがしたので、ついつい追ってきてしまったゾ」

「もう、しゃあないな」

「カタグリくんも食べましょう」

みんなでお弁当を食べる準備をしていると、急に春風がふき、サクラの花びらが舞《ま》い上がりました。

「わぁー、きれいね」

「ほんまやな」

「……」

ブルブルくんとアイアイちゃんはサクラに感動していますが、カタグリくんはなにも言いません。

「カタグリくんもなにも言えないくらい感動してるんか？」

「う、うん……」

「カタグリくんどうしたんや？」

おかしな様子に気付いたブルブルくんがカタグリくんの方を見ると、なんとカタグリくんがひとりでお弁当を食べ始めていました。

「カ、カタグリくん！」

アイアイちゃんの顔はみるみるおこり顔に変わっていきます。

「ごめんよ。オイラ、がまんできなくて食べてしまったゾ……」

「カタグリくんは『花よりだんご』なんやね」

「もう、食いしんぼうなんだから」

あきれ顔のアイアイちゃん。

「でも、そんなこともあろうかと、たくさんお弁当を作ってきたわ」

そう言って、アイアイちゃんは大量のお弁当をうれしそうに並べていきます。

しかし、ブルブルくんもカタグリくんも心の中では「こんなには食べられないよ……」と思うのでした。

愛のブルーベリーはちみつ

「ブルブルくん、私、なにかあまいものが食べたいな」

ブルブルくんと森の中でデートをしていたアイアイちゃんが言いました。

「なにが食べたいん？」

「ん～、そうねえ。パンケーキとか？」

森の中にパンケーキ屋さんはありません。

それでもブルブルくんはアイアイちゃんにかっこいいところを見せたくて考えました。

「あ！」

なにかを思いついたブルブルくん。

アイアイちゃんの手をとって森のおくに向かいます。

しばらく歩いて着いたのは森のキャンプ場でした。

「ここにすわって待ってて」

丸太のテーブルにアイアイちゃんをすわらせます。

ブルブルくんはカセットコンロとフライパン、そしてパンケーキの材料を集めてくると、テーブルの上に置きました。

「もしかしてここでパンケーキを作るの?」

アイアイちゃんがおどろきました。

「うん、まかせといて!」

自信たっぷりのブルブルくん。

一生けんめいパンケーキを作ります。

ふっくら焼きあがったパンケーキにバターをのせて完成。

アイアイちゃんの前に差し出しました。

「すごいわ、ブルブルくん。いいかおり。でも、なにか足りないような……。あ、ハチミツがないわ。ないなら仕方がないのだけれど……」

「よっしゃ。じゃあ、ボク、ハチミツさがしてくるわ！」

そう言ったかと思うと、ブルブルくんはすぐに森へハチミツをさがしに行きました。


「あったぞ！」

ブルブルくんが見つけたのはハチの巣でした。

「これでアイアイちゃんにハチミツをあげられる……」

手をのばしたそのとき、大きなハチが目の前に立ちはだかり、ものすごい顔でブルブルくんをにらみつけています。

「なんや！　ボクはブルーベリーのようせいや！　このハチの巣からハチミツを取ってアイアイちゃんにあげるんや！」

そう言ってハチの巣を抱えると、もと来た道の方へかけ出しました。

しかし、ハチのこうげきをさけられなかったブルブルくんは、虫さされだらけのすがたになってアイアイちゃんのもとへもどっていきました。

おいしそうなブルーベリーハチミツになって。

アイアイちゃんの手作りチョコレート

アイアイちゃんが家のキッチンで一生けんめい大きなナベをかきまぜています。

中に入っているのはチョコレート。こげないようにゆっくりと、力強くまぜています。

「チョコレートを作るのって思ったより大変……。でも、明日みんなにプレゼントするって約束したもの！　がんばらなきゃ」

そのとき、アイアイちゃんのおでこから、ピンク色のしずくが1つぶ落ちました。

「どうせアイアイちゃんは自分でチョコレートを作ったことなんて、ないんでしょう？」

「お料理が上手には見えないわよね」

「そんなことないわ！　明日、おいしいチョコレートを作ってくるから！」

森の女の子たちとケンカして、つい言ってしまったのでした。

夜が明け、今日はバレンタインデー。

アイアイちゃんは手作りチョコを森のみんなにふるまいま

した。

「おいしい！」

「アイアイちゃん、見直したわ」

「うふふ。ありがとう」

昨日ケンカをした女の子たちとも仲直り。

ブルブルくんやほかのみんなにも配って回りました。

ところが、しばらくたつと森のみんなの様子が、なんだかおかしいみたい。

ブルブルくんもカタグリくんも紫々丸《ししまる》くんも、フラフラして目がハートになっています。

「やっちゃった！　きっとチョコレートを作っているときに、レスベラトロールビームのしずくが入っちゃったのね」

レスベラトロールビームはみんなをメロメロにしてしまう

アイアイちゃんの能力。
『アイアイちゃ～ん』
みんなに追いかけられて、アイアイちゃんは急いで森から
にげたのでした。

ある名曲のひみつ

「今度この歌のコンテストに出場するの。ブルブルくんもおうえんに来てね♪」

アイアイちゃんがブルブルくんにコンテストのチラシを見せました。

「へえ、こんなのがあるんや！　オリジナルソングを1曲ひろうして投票で優勝者を決める……。しかも優勝者には賞金が!?」

賞金が出るとわかり、やる気になるブルブルくん。

「アイアイちゃん！　ボクも出場する！」

「え？　ブルブルくん？」

「とっておきをひろうするから、楽しみにしててや～」

ブルブルくんは「優勝や～」とさけびながら帰っていきました。

そしてコンテスト当日。アイアイちゃんはすてきな歌声でみんなをうっとりさせました。
次はブルブルくんの出番です。
「ボクの自信作、聞いてください！　音楽スタート！」

ブルブル アイアイ ブルーベリーアイ♪
毎日 アイアイ ブルーベリーアイ♪
ブルブル アイアイ ブルーベリーアイ♪
ブルーベリーパワー♪

ブルブルくんは歌いながら元気にダンスをおどりました。

楽しいリズムにつられてみんなもおどり出します。

ブルブル アイアイ ブルーベリーアイ……♪

ダンスはどんどん広がってコンテスト会場は大さわぎ。動きもはげしく、めちゃくちゃになっていきました。

「ストーーーップ!!」

アイアイちゃんがさけぶと、会場のみんなは正気に返りました。

「もう、ブルブルくんったら!」

アイアイちゃんにこってりしかられてしまったブルブルくん。優勝はできなかったものの、ダンスはその後、森でブームになったんですって。

ブルブルくんと
紫々丸くん

幸せを運ぶ綿毛《わたげ》

ある春の暖かい日、ブルブルくんとアイアイちゃんは仲良く森で散歩をしていました。

「あ、アイアイちゃん見て！　タンポポの綿毛や」

ブルブルくんは辺り一面にあるタンポポの綿毛に感動し、1本つんでアイアイちゃんに渡しました。

「もうタンポポが綿毛になったのね。早いわねぇ」

アイアイちゃんがフーッと息をふきかけると、綿毛は空へ舞《ま》い上がっていきました。

ふたりは綿毛に次々と息をふきかけていきました。


しばらくすると、ブルブルくんは綿毛が一か所に集まっていることに気が付きました。飛んでいった綿毛がどんどんくっついて大きくなっていきます。

ブルブルくんがおそるおそる見に行くと、なんと紫々丸《ししまる》くんに綿毛がくっついてしまっていたのです。

「びっくりした！　紫々丸くんやん」

「やあ、ブルブルくん。そうなんだよ、さっきから綿毛がボクの体にたくさんくっついちゃって……。紫色の毛が白くなっちゃった」と苦笑い。

「紫々丸くんのハッピーウールが大変なことになっとる！取ったるわ」

ところが、毛がからまってなかなか取れません。

「しゃあない。そしたらおどるしかないな。紫々丸くん、ボクに合わせておどってや」

「え、おどるの〜!?」

紫々丸くんはしぶしぶブルブルくんに合わせてダンスをしました。

すると、綿毛は紫々丸くんの毛からはなれ、どんどん空に飛んでいきました。

「たくさんの花をさかせてや〜」

ブルブルくんたちは手をふって綿毛を見送ります。


翌年、森からずっと遠くのあれ果てた土地でとつぜんタンポポの花がいっせいにさき、それからは美しい緑豊かな土地となりました。

もしかしたら、紫々丸くんのハッピーウールのおかげで、綿毛が幸せも運んでくれたのかもしれません。

紫々丸《ししまる》くんの発明品

ある日、紫々丸くんがニコニコしながらブルブルくんのところにやってきました。

「紫々丸くん、どうしたんや？　気持ち悪いほどニッコニコやな」

ブルブルくんは初めて見る紫々丸くんの表情にどうようをかくせません。

「ふふふ……実はね、めちゃくちゃすてきな発明ができたんだ！」

「じゃじゃ〜ん!!」と言って、紫々丸くんが後ろにかくしていたものをおひろめしました。

「木の板？　それがどうしたんや？」

「ただの木の板じゃないんだよ！　見て！」

紫々丸くんが持っている板にはタイヤが付いています。

不思議そうにしているブルブルくんの前で、紫々丸くんはピョンと木の板に乗ってみせました。

「行っくよ〜♪」

紫々丸くんは地面を軽くけって、さっそうとブルブルくんの前を通りすぎました。

「すごいやん、紫々丸くん！　ボクも乗せてや！」

「もちろん！　バランスが難《むずか》しいから気をつけてね」

ブルブルくんもさっそく乗ってみます。

ドスンッ！

「いたた……。確かにバランスが難しいな！」

「がんばってブルブルくん！」

紫々丸くんが少し支えてあげると、次は上手に乗ることができました。

「おぉっ、速い速い！　これめちゃくちゃ楽しいな！　これさえあれば、どこでもビューンってひとっ飛びや！」

なれてきたブルブルくんは調子に乗って森の中をかけ回っています。

「ブルブルくん、前見て、前！　気をつけないとあぶないよ！」

紫々丸くんの心配をよそに夢中《むちゅう》で乗り回すブルブルくん。

「大丈夫や！　ボクはそんなヘマせえへんわ」

そう言ってふり向いたしゅんかん、紫々丸くんが思わず手で目をおおいました。

ドンッ！

「……っいったたたたた」

「ほら、言わんこっちゃない」

ブルブルくん、調子に乗るのもほどほどにね。

お世話し合いっこ

夏が終わり、北欧《ほくおう》の森は赤色や黄色にそまった葉っぱのじゅうたんでうめつくされています。

ピューッと冷たい風がふくようになり、ブルブルくんと森で遊んでいたアイアイちゃんも寒さでふるえています。

「ブルブルくん、なんだか今日は一段と寒いわね」

「そうやな、アイアイちゃん。ちょっと早いけど、かぜ引いたらあかんし、帰ろか」

「早く温かいおふとんにくるまりたいわ。こんな日のおふとんは気持ちが良くって幸せなのよね」
そこへ紫々丸《ししまる》くんがやってきました。
「ハッピー！　なんの話をしているの？」
「だんだん寒うなってきたから、はよ帰ろかって話してて
ん。でも紫々丸くんは温かい毛に包まれてるから寒さは感
じひんの？」
ブルブルくんがたずねました。
「そうだねぇ。このモフモフの毛はとっても温かいから寒
くないよ」
するととつぜん、アイアイちゃんが紫々丸くんにだきつき
ました。
「わあ、すごく温かくて気持ちいい〜！」
それを見ていたブルブルくんもまねをして紫々丸くんに飛
びつきました。

「ほんまやなぁ。温かいわぁ」

紫々丸くんはうれしいやらはずかしいやら。

でも、すぐに体が重くて動けなくなってしまいました。

「おーい、ふたりともそろそろはなれてぇ。動けないよぉ」

ところが、ふたりとも返事をしません。そっと見ると、スヤスヤと気持ち良さそうにねむっていたのです。

「やれやれ……」

紫々丸くんは、ふたりをかかえてそれぞれの家まで送り届けてくれました。


次の日、ブルブルくんとアイアイちゃんは、紫々丸くんの家へお礼に行きました。しかし、紫々丸くんはなぜか出てきません。

ドアからのぞくと、紫々丸くんはベッドに横になっていました。

「どうしたん！　具合でも悪いんか？」

「ぜんぜん。大丈夫だよぉ、うっ！」

紫々丸くんがかたまってしまいました。

「どうしたの！　紫々丸くん！」

なんとふたりをおんぶしたせいで「ぎっくりごし」になってしまったのです。

その日から、ブルブルくんとアイアイちゃんは、毎日紫々丸くんのお世話をしていたわりました。

生え変わりの季節？

北欧《ほくおう》に夏がおとずれようとしています。

羊たちの毛は生え変わりの季節。牧場の羊たちは、夏になる前に冬の毛をきれいにかり取られます。

するとまたきれいな新しい毛が生えてくるんですって。

そんなうわさを聞いたブルブルくん。

本当かどうかたしかめたくて、チラチラと紫々丸《ししまる》くんの方を見ています。

「なぁに？　ブルブルくん？」

ブルブルくんの視線《しせん》に気付いた紫々丸くんは、目をキラキラさせながらたずねました。

「え？　いやぁ、紫々丸くんって、夏になる前に、その、さんぱつするんかなぁって思って」

「するよぉ。冬の毛から、また新しい毛に生え変わるんだぁ。でも冬の毛がなくなっちゃうとボク、ツルツルになっちゃうからちょっとはずかしくって」

「へぇ〜」

「あと、ボクのはちょっと変わっていて、毛をかるんじゃなくて、ここのほころびを引っぱるとツルッて全部ぬけるんだ。あ、引っぱっちゃダメだよ」

ダメだと言われると、よけい気になるブルブルくん。

紫々丸くんがお昼ねしている間に、そっと近付いて、ほころびを見つけると、

「えい！」

と一気に引きぬいてしまいました。

すると……。

ツルン！　パサッ。

体中の毛が一気にぬけて、紫々丸くんはツルツルになってしまいました。

「こ、これはもう、羊というか、なんというか……」

あまりの変わりように思わず大笑いしそうになったブルブルくん。そっとその場をはなれようとすると、ピューッと風がふき、紫々丸くんのぬけ毛が一気に空へ舞《ま》い上がりました。

「クシュン！」

寒気を感じた紫々丸くんがくしゃみをした、そのしゅんかん、ボン！　と一気に新しい毛が生えてきました。

モフモフな毛に包まれ、目を覚ました紫々丸くん。

「あ～、気持ち良かった。なんだかすっきりした気分だよ」

「そ、そりゃ良かったわ……」

さっきのことはそっと自分のむねの中にしまっておこうと思ったブルブルくんなのでした。

ブルブルくんと
カタグリくん

春のアントシアニンパワー

4月。長かった冬が終わり、北欧《ほくおう》にも少しずつ春がおとずれてきました。

高く積もっていた雪がとけだし暖かくなってくると、森は草花でいっぱいになります。

「今年もようやく春がきたなぁ、長かった〜」

ブルブルくんは森の中でしらかばの木々の間をぬいながらうれしそうに飛び回っています。

とけはじめた雪の間からは、たくさんのビルベリーの花が顔を出し、飛んでいるブルブルくんからキラキラとふりそそぐアントシアニンパワーを浴びて元気に成長をしています。

それを少しはなれたところから見ていたカタグリくん。

「オイラも、あのアントシアニンパワーがほしいんだゾ～。あ、いいことを思いついたゾ」

体がかたいので、カチコチとコミカルな動きで森の中を進みながら、ブルブルくんへ近付いていくカタグリくん。いかにも悪だくみをしていそうな顔をしています。

「モイ！　おはようカタグリくん」

「オッス、ブルブルくんにいいニュースがあるんだゾ。実はアイアイちゃんが、春になったから今夜一緒に森のダンスホールでブルブルくんとダンスをおどりたいって言ってたらしいゾ」

「ええっ？　アイアイちゃんが⁉」

ブルブルくんの目はハートになり、一気に頭の上からアントシアニンパワーがふき出しました。

「あっはっは、ウソなんだゾー！　本当にブルブルくんはだまされやすいんだゾ」

キラキラのアントシアニンパワーをあみでパパパッとかき集めたカタグリくんは、しぼんで元気のなくなったブルブルくんを横目に一気にアントシアニンパワーを口の中へ。

「うぐぐ！　これは！」

体がひと回りもふた回りも大きくなって、もとの手足ではまともに動けなくなってしまいました。

「もう！　自業自得やでカタグリくん！　春から夏にかけては、ボクのアントシアニンパワーには成長のためのエネルギーがたっぷりふくまれているんやから」

丸々とした体で起き上がれないカタグリくんを見ながら笑うブルブルくんなのでした。

花のうらみはこわい⁉

ブルブルくんが北欧《ほくおう》の森を散歩していると、アイアイちゃんがあたりをキョロキョロ見回しながら歩いていました。

「おーい、アイアイちゃん！」

「あ、ブルブルくん」

チラッとブルブルくんを見て、すぐにまたキョロキョロ。なにかをさがしている様子で歩き回っています。

「どうしたん？　アイアイちゃん、なんか落としものでもしたんか？」

「ちがうのよ、ブルブルくん。わたし、月下美人の花をさがしているの」

「げっかびじん？」

「そう、夜に一度しかさかない花。満月の光を浴びた月下美人からしたたる夜つゆをぬると、おはだはうるおい、血色も良くなり、その名のとおり美人になれるんですって。でも、昼間はさいていないから、どこにあるかわからなくって」

それを聞いたブルブルくんはてれくさそうに

「ア……アイアイちゃんは今でも十分美人やで」

とつぶやきましたがアイアイちゃんには聞こえていません。

「どこにあるのかしら……。満月の夜までに見つけないと」

と月下美人さがしに夢中《むちゅう》です。

「あ、あった！」

ついに月下美人を見つけたアイアイちゃん。大きくふくらんだつぼみが風にゆれています。

アイアイちゃんはウキウキしながら、満月の夜を待ちました。

満月の夜、ついに月下美人の花がさきました。

夜つゆがしたたり落ちるまで待っていたアイアイちゃんですが、そのうち、ねむくなってついウトウト。

はっと目をさまし月下美人の方を見ると、花がなくなっていました。

「ない！　花がなくなっちゃった！」

その近くで、なにやらモシャモシャという音が聞こえます。

ふり返ると、そこにいたのは……。

「カタグリくん!?」

「あ、アイアイちゃん。どうしたんだゾ、こんな夜中に」

口の周りに、月下美人の花びらをつけてにっこり笑うカタグリくん。

「まさか……、まさか……」

「ん？　そこにあった花があんまりあまくていいにおいだったから、つい食べてしまったゾ」

あははと笑うカタグリくん。

「もう！　カタグリくんのバカ！」

そのあと、カタグリくんのラグビーボールのような体がヘチマのようにひん曲がったのは言うまでもありません。

はらペコザウルス

とある日。とつぜん、北欧《ほくおう》の森に地ひびきがなりわたりました。

「なんだ、なんだ!?」

ブルブルくんと紫々丸《ししまる》くんはバランスをくずし、地面にたおれ込んでしまいました。

空を見上げると、大きな大きなカタグリくんがのっしのっしと歩いています。

「カタグリくん！　なんであんなに大きく!?」

「ちゃうで、紫々丸くん……。あれは、はらペコザウルスや！」

「は？」

ブルブルくんが言いました。

「はらペコザウルスは、満足いくまでごはんを食べられへんかったカタグリくんが変身したすがたや！」

ブルブルくんの声に合わせたかのようにカタグリくんが
「おなかが空いたゾォォォ！」

と大きな体をしならせながらさけび、近くにあった木や草をむさぼり始めました。

「あかん！　このままじゃ、自然豊かな北欧の森が食べつくされてまう！　ボクの目が黒いうちはそんなことさせへんで！」

ブルブルくんは地面を強くけり、カタグリくんの方へと走り出しました。

カタグリくんは目の前に小さなブルーベリーが立ち向かってきたことに気付き、つかまえて食べてしまおうと手をのばしました。

ブルブルくんは素早い動きでそれをかわし、カタグリくんのうでをかけ登っていきます。

カタグリくんの頭まで登ったブルブルくんは

「今、助けたるからな！」

とさけび、体に力をこめました。

「アントシアニンパワー!!」

するとブルブルくんの体が濃《こ》い青むらさき色に変わって、頭のてっぺんから青むらさき色の光が放出されました。

その光の不思議な力でカタグリくんが食べたはずの草木はもとどおりになり、カタグリくんももとの大きさへともどっていきました。

「大丈夫か!?　カタグリくん！」

「うっ……おなかが空いたゾ……」

「もう、心配させて！　でも、カタグリくんが無事で良かったで！」

目になみだをためて笑うブルブルくん。

めでたし、めでたし。

「ボ……、ボクはなにを見せられていたんだ……」

紫々丸くんがつぶやきました。

温泉《おんせん》

「……うっ、さむ」

ブルブルくんは寒さではっと目を覚ましました。空はまだ暗いままです。

北欧《ほくおう》の春はまだ遠く、朝は寒い日が続いていました。

ブルブルくんは体が冷えてガタガタとふるえています。

「……そうや！　温泉に入ろう！」

その日のお昼、森の広場にはブルブルくんとアイアイちゃん、カタグリくんが集まっていました。

「この森に温泉なんてあるの？　フィンランドはサウナ文化よ」

「なければ作ればええんや！　たのむでカタグリくん！」

「おおっ！」

そう言うと、カタグリくんは一心不乱《いっしんふらん》に地面をほり進んでいきました。

「いいぞ、カタグリくん！　そのまま地球のうら側までつなぐんや」

「ええっ⁉」

おどろくアイアイちゃん。

一方のカタグリくんは、「おおー！」とどんどんもぐっていって、すがたが見えなくなってしまいました。

しばらく待っていると、地下深くからなにやらドドドドと音が聞こえてきました。

「……なんだか、地面がゆれてない？」

「きたきたきたきた――！」

と、次のしゅんかん。

「やったゾー!」

地面から温かいお湯がいきおいよくふき出しました。

森のみんなは大喜びで温泉に飛びこみます。

その日から、森のみんなは毎日温泉に入るようになり、寒い冬でも元気いっぱいで暮らしています。

ブルブルくんとみんな仲良し

無敵《むてき》な必殺技《ひっさつわざ》

紫々丸《ししまる》くんからのとつぜんのよび出しで、急いで集合したブルブルくんとアイアイちゃんとカタグリくん。

「どうしたんや、紫々丸くん！」

「実は……。ちょっと来て！」

紫々丸くんに連れられて湖にやってくると、湖の水がすっかりなくなり空っぽになっていました。

「な、なんでこんなことに！」

「周りのお花さんもしおれているわ……」

カタグリくんやアイアイちゃんもビックリ。

「朝、ボクが来たらこんなことになっていて……。どうにか解決《かいけつ》できないかな」

紫々丸くんのウルウルした目でお願いされたらことわれません。

「ボクらの出番やな！」

「よーし、まずはなにが原因かさがすゾ〜！」

「湖の水がどこで止まってるか見にいきましょう」

『そうしよう！』

そうして、４人は湖のほとりを調べることにしました。

「こっちから少しだけ水が流れてるゾ」

「本当だ」

「あ！」

「あんなところに大きな石が‼」

ブルブルくんが指差した先には、川をふさぐほどの大きな石がありました。

「だから水が止まってしまったんだ！」

「みんなで石をどかそう！」

『エイオー！　エイオー！』

4人は一生けんめい石をどかそうとしますが、ビクともしません。

やがて日も暮れ、クタクタになってきました。

「どうしたらいいんだ……」

「このままじゃお花さんたちがかれちゃう……」

そのとき、ブルブルくんがさけびます。

「そうや、なんで早く気付かんかったんや！　ボクの必殺技で解決《かいけつ》や！」

3人が見守るなか、石に向かって力をこめました。

「ウルトラマックス！　アントシアニンパワー!!」

すると、大きな石は「バコーン！」と音を立ててくずれていきます。川の水も今までどおり、湖に流れていきました。

その様子を見ていたみんなはハイタッチをして大喜び。

「さすがブルブルくんね♪」

「水がいきおい良く流れていくゾ！」

「ありがとう、ブルブルくん」

秋といえば……

秋が深まり、森の木々は日増しに美しく色付いています。

「ほんまにきれいやなぁ。赤色やオレンジ色、黄色。この葉っぱのグラデーション」

湖にうつる森をうっとりとながめるブルブルくん。そこへカタグリくんがやってきました。

「ブルブルくんどうしたんだゾ？　おいしいものでも見つけたのか？」

「なにを言うてんねん！　秋といえば紅葉《こうよう》やろ！」

「秋といえば食欲《しょくよく》の秋だゾ！」

焼きいもをほおばりながら、エッヘンといった表情で答えるカタグリくん。

そこへ紫々丸《ししまる》くんが息を切らしながらやってきました。

「走るとやっぱり暑いね。あせをかいちゃったよ。ボクは秋といえばスポーツの秋なんだ」

それぞれの秋を楽しむブルブルくんと仲間たち。

「ところでアイアイちゃんは?」

「そういえば走っているときにキャンバスに向かってもくもくとなにかを描いているのを見たよ」

「へぇ、アイアイちゃんは芸術《げいじゅつ》の秋か! きっときれいな絵を描いているんやろうな」

ブルブルくんとカタグリくんは、紫々丸くんの案内でアイアイちゃんのいる方へ向かいました。

そこには真面目な顔で絵を描くアイアイちゃんがいました。アイアイちゃんは3人に気付くと、にっこりと笑顔を見せました。

「あら、良かったわ。ちょうど今できあがったから3人に見せたかったの！」

3人がそっとのぞくと、そこには真っ赤なほのおに囲まれた3匹のモンスターが描かれていました。

「アイアイちゃん、これは……？　なんだかすごいな」

「秋の紅葉を楽しむブルブルくん、カタグリくん、紫々丸くんよ！」

アイアイちゃんはとっても得意気でしたが、ブルブルくんたちには、どうしても3匹のモンスターに見えてしまい、顔を見合わせて苦笑いしました。

森の雪まつり

森に冬がやってきました。

北欧《ほくおう》の冬は暗く寒い日が続き、みんな家ですごすことが多くなるため、森は静かな毎日が続きます。

そんなある日、紫々丸《ししまる》くんがブルブルくんの家にやってきました。

森の静けさと、さみしそうな木々の様子が気になり、ブルブルくんに相談することにしたのです。

「ボクも夏生まれやから寒いのはめっちゃ苦手やけど、森に元気がないのはこまるなぁ」

とブルブルくん。

少し考えて「そうや、雪まつりしよ！　みんなで雪だるまを作れば、体も温まるし、森も楽しくなるんちゃう?」

と言いました。

「それいいね! じゃあ、一番上手にできた雪だるまにはボクからプレゼントをあげるってのはどう?」

と紫々丸くんもワクワクしています。

「ハッピーウールか! それなら、みんながんばるやろな!」

ブルブルくんたちのよびかけで森のみんなが集まり、雪だるまを作ることになりました。

雪はたくさん積もり、冷たい風もふいていましたが、体を動かすのであせをかくくらい温かくなりました。

「オイラ楽しいゾ。外で遊ぶのも好きだゾ」

とカタグリくん。

「そうね。寒いからって家にいるばかりじゃダメね」

とアイアイちゃんも笑顔を見せます。

みんなが楽しむ様子に森の木々たちもうれしそうです。

こうしてみんなの雪だるまが完成すると、紫々丸くんが作品を見て回りました。

丸い雪だるま以外にも、トナカイやクマの形をしたものもあります。

ブルブルくんはカタグリくんやアイアイちゃん、紫々丸くんと４人で笑っている雪だるまを作りました。

「ボクも作ってくれたんだね。ありがとう」

と紫々丸くん。

「実はこれだけちゃうねん。見ててやー」

ブルブルくんが手に持っていたスイッチをおすと、雪だるまが光りだしました。

「うわあ、すごい！」

「オイラ、光ってるばい」

「きれい！　ブルブルくんすごいわ！」

雪だるまコンテストはブルブルくんが優勝。ハッピーウールで作ったとっても温かいぼうしをもらいました。

ライトにてらされた雪だるまのおかげで、うす暗かった森も明るくなり、またみんなが外で遊ぶようになりました。

森のみんなは、いつもとは違う幸せな冬をすごしています。

初夢《はつゆめ》

ペッタン！　ペッタン！

カタグリくんがきねでもちつきをしています。

力いっぱい、ペッタン！　ペッタン！

そのとなりでは、紫々丸《ししまる》くんがテンポ良く、ササッとおもちをひっくり返しています。

もちつきを初めて目にしたブルブルくんとアイアイちゃん。

「すごいやん、紫々丸くん！」

「熱いおもちを高速でひっくり返すなんて、すてきだわぁ」

とこうふんしています。


カタグリくんは自分もほめてもらいたくて少しムッとしな

がら、どんどんもちつきのスピードを速めていきました。

「わぁ！　あぶない！」

紫々丸くんの手をついてしまいそうなスピードでもちつきを続けるカタグリくん。きけんに思ったブルブルくんが止めに入った、そのときでした。

ペッタン!!

カタグリくんは周りを見ずにもちつきを続けたため、ブルブルくんがきねの下じきになってしまったのです。

「きゃー！」

悲鳴をあげるアイアイちゃん。

「こら！　カタグリくん！　ダメじゃないか！」

おこる紫々丸くん。

ペッタン！　ペッタン！

「わははのは」

それでも、カタグリくんはおかまいなしにもちつきを続けます。

「もう、カタグリくんのバカバカ～」

なみだを流しておこりながら、カタグリくんの頭をポカポカたたくアイアイちゃん。ブルブルくんがまざってしまったおもちは、だんだんうすいむらさき色になり、ブルブルくんはうすの中で目を回しています。

「ハッ！　夢か！」

冷やあせとともに目ざめたブルブルくん。実は年末にみんなでやったもちつきの夢を見ていたのでした。

「あけましておめでとー！」

正月の衣装《いしょう》に身を包んだ紫々丸くんとアイアイちゃんがやってきました。続いて、お皿の上にはみでるほどのおもちをのせたカタグリくんもやってきて、みんなでおいしいおせちとおもちを食べました。

良い一年になりますように！

あとがき「フィンランドの森」

ブルブルくんのショートストーリーいかがでしたか。楽しんでいただけましたでしょうか。

すべての物語に登場するブルブルくんの故郷《こきょう》は「森と湖の国」フィンランド。幾度《いくど》となく訪れましたが、その豊かで美しい自然には毎回、感動を覚えます。

ヨーロッパの北部にあるフィンランドは、隣接《りんせつ》するスウェーデン・ノルウェーともに北欧《ほくおう》と呼《よ》ばれ、この3カ国が森でつながる北極圏《ほっきょくけん》に位置するラップランド地方の冬はとても厳《きび》しく、街《まち》や山、湖までも雪でおおわれてしまいます。

気温はマイナス30度。まつ毛も髪《かみ》も凍《こお》り、息をするたびに肺《はい》が凍るのではと心配になるほどの寒さです。澄《す》み切った空気の中、夜空に広がる「オーロラ」の神秘的《しんぴてき》な美しさ。極寒《ごっかん》の中、何時間も待ち続けてようやく見ることができたあの光景は今も忘れることができません。そして、フィンランドのラップランドには『サンタクロース』がたくさんのトナカイと暮《く》らす村があり、クリスマスには世界中の子どもたちに夢《ゆめ》を届《とど》けに行きます。

厳しい冬をこえ、おだやかな春のあと短い北欧の夏が訪《おとず》れるのです。突《つ》き抜けるような青い空、一晩中《ひとばんじゅう》太陽が沈《しず》まない白夜。太陽の恵《めぐ》みを受けて、広大な森にはブルーベリーやサンタベリーなど、たくさんの果実が実ります。

こんなファンタジーにあふれたフィンランドの森で誕生《たんじょう》した、かわいい妖精《ようせい》たち。青むらさき色の果実ブルーベリーの妖精『ブルブルくん』と赤い果実サンタベリーの妖精『アイアイちゃん』。ふたりはダンスが大好きで毎日毎日歌って踊《おど》って、森の仲間たちと楽しく暮らしています。

こんなブルブルくんやアイアイちゃんがみなさんの近くでがんばっている様子を物語にしたのが『ブルブルくんストーリーズ』です。

【フィンランドの森】編《へん》、【いつもそばにいるよ】編、そしてふたりの仲間も登場する【ゆかいな友だち】編の3部作。

わかさ生活スタッフがそれぞれの感性で書きためたオリジナルストーリー。この本を読んで、少しほっこりしていただけたなら嬉《うれ》しく思います。

さあ、みんなで一緒に歌って踊ってダンスを楽しもう♪

♬ブルブルアイアイ　ブルブルくん♪
　ブルブルアイアイ　アイアイちゃん♪

わかさ生活 代表取締役社長　角谷建耀知

自分だけの「ブルブルくんストーリー」を作ってみよう！

物語を書くのは意外と簡単《かんたん》！
次のポイントを押さえて、
自由な発想で書いてみよう。

① 登場人物を考えよう

きみの考えるブルブルくんはどんな性格《せいかく》かな？ 得意なことや苦手なことは？ 今はどんな気分かな？ 悪役だっていいかもね！

②ストーリーを考えよう

物語の場所はどこかな？　時間や季節は？　ブルブルくんはだれと一緒にいるかな？　例えば、きょうりゅうのいる時代だったらどうかな？

③読む人のことを考えよう

家族や友だち、だれに読んでほしいかな？　ワクワク、ドキドキ、どんな気持ちを伝えたい？　だれかにお話しするように書いてみよう。

さあ、レッツチャレンジ！

題名「　　」

上手にできたら、「ストーリー学院」に送ってね！
きみのお話が本やアニメになるかも!?

ストーリー学院

株式会社わかさ生活

1998年創業。本社は京都府京都市。

「若々しく健康的な生活を提供する」ことを目指し、サプリメントの研究開発・販売や健康に関する情報発信などを行う。「目のことで困っている人の役に立ちたい」という想いで開発した『ブルーベリーアイ』は、18年連続売上No.1。※ 2006年に登場したブルブルくんはインパクトのあるCMで話題となり、わかさ生活の企業キャラクターとして愛されている。

※「H・Bフーズマーケティング便覧」機能志向食品アイケアより引用㈱富士経済（2004年～2021年ブルーベリーアイ実績）

ブルブルくんストーリーズ ③

ブルブルくんとゆかいな友だち

初版発行日　2023年10月25日 第1版　第1刷発行
制作・編集　株式会社わかさ生活
発行　株式会社わかさ生活　〒600-8008　京都市下京区四条烏丸長刀鉾町22三光ビル
TEL：075-213-8311
https://company.wakasa.jp/
イラスト　こにしさくら
装丁・デザイン　オオエデザイン
発売　株式会社大垣書店　〒603-8148　京都市北区小山西花池町1-1
印刷・製本　図書印刷株式会社

ISBN 978-4-903954-69-1

●この本に関するご意見・ご感想をお寄せください。
［宛先］〒600-8088 京都府下京区四条烏丸長刀鉾22 三光ビル3階　株式会社わかさ生活 宛
●造本には十分注意しておりますが、落丁・乱丁（本のページの抜け落ちや順序の間違い）の場合は
お取り換えいたします。小社「株式会社わかさ生活」宛にお送りください。送料は小社負担にてお取り換えいたします。